D0352847

STAR WARS™

THE CLONE WARS™

Conception graphique du roman : Laurent Nicole.
Traduction : Jonathan Loizel
Hachette Livre, 43, quai de Grenelle, 75015 Paris.

L'invasion droïde

hachette
JEUNESSE

Les planètes de la galaxie doivent choisir leur camp : s'allier aux Séparatistes ou aider les Jedi à protéger la République ? Un seul clan survivra à cette guerre. Le vainqueur contrôlera la galaxie tout entière, et fera régner la paix ou la terreur...

Les Jedi

Anakin Skywalker

L'ancien padawan d'Obi-Wan est devenu un Chevalier Jedi impulsif et imprévisible. Il a une maîtrise impressionnante de la Force. Mais est-il vraiment l'Élu que le Conseil Jedi attend ?

Ahsoka Tano

Yoda a voulu mettre Anakin à l'épreuve : il lui a envoyé une padawan aussi butée et courageuse que lui… Cette jeune Togruta possède toutes les qualités nécessaires pour être un bon Jedi, sauf une : l'expérience.

Les Jedi

Obi-Wan Kenobi

Général Jedi,
il commande l'armée
des clones. Il est reconnu
dans toute la galaxie
comme un grand guerrier
et un excellent négociateur.
Son pire ennemi est
le Comte Dooku.

Maître Yoda

C'est probablement
le Jedi le plus sage
du Conseil.
Il combat sans relâche
le Côté Obscur de la Force.
Quoi qu'il arrive,
il protégera toujours
les intérêts de
la République.

Les clones de la République

Ces soldats surentraînés ont tous le même visage puisqu'ils ont été créés à partir du même modèle, sur la planète Kamino. Le bras droit d'Anakin, le capitaine Rex, est un clone aussi entêté que son maître !

Les Séparatistes

Asajj Ventress

Cette ancienne Jedi
a rapidement préféré
le Côté Obscur
de la Force. Elle est la plus
féroce des complices du
Comte Dooku,
mais surtout, elle rêve
de détruire Obi-Wan.

Le Comte Dooku

Il hait les Jedi.
Son unique but est
d'anéantir la République
pour mieux régner
sur la galaxie. Il a sous
son commandement
une armée de droïdes
qui lui obéissent
au doigt et à l'œil.

Le Général Grievous

Ce cyborg
est une véritable
machine à tuer !
Chasseur solitaire,
il poursuit les Jedi
à travers toute
la galaxie.

Darth Sidious

Il ne montre jamais son
visage, mais c'est pourtant
ce Seigneur Sith qui dirige
Dooku et les Séparatistes.
Personne ne sait d'où il vient
mais son objectif est connu
de tous : détruire les Jedi
et envahir la galaxie.

CHAPITRE 1

Danger !

La guerre bat son plein dans la Bordure Extérieure. Les Jedi et leur armée de clones luttent aux quatre coins de la galaxie contre les droïdes du Comte Dooku. La République n'hésite pas à engager tous ses moyens dans le combat contre l'Alliance Séparatiste et envoie en renfort des soldats débutants, qu'on surnomme « les Bleus ».

Ces jeunes recrues s'occupent du système de surveillance des stations et sont essentiels

en cas d'invasion.

Obi-Wan Kenobi et Anakin Skywalker sont à bord du *Resolute* et sont à la recherche du terrible Général Grievous. Les deux Jedi s'attendent à une attaque de sa part, mais sans savoir où, quand ni comment il va frapper ! Cela fait maintenant plusieurs semaines qu'il leur échappe. Le diabolique Grievous est aussi un grand chef de guerre très intelligent et capable du pire.

Il commande les armées droïdes et son adresse au combat n'a d'égale que sa cruauté.

Grievous est un cyborg qui possède à la fois une force hors du commun et une agilité impressionnante. Mais les battements de son cœur ne sont rythmés que par l'envie de détruire les Jedi…

Obi-Wan entre dans la salle de stratégie du *Resolute*, où l'attend Anakin. Le jeune homme est penché au-dessus d'une carte holographique, l'air maussade. R2-D2, son fidèle droïde, est avec lui, comme d'habitude.

— Encore là, Anakin ? demande Obi-Wan. Quand est-ce que tu as dormi pour la dernière fois ?

Anakin ne s'est pas beaucoup reposé depuis le début de la traque de Grievous, ce qui inquiète Obi-Wan. Ils se connaissent depuis qu'Anakin est petit, et Obi-Wan ne peut s'empêcher de se faire du souci pour son ami. Il faut dire que le jeune homme lui facilite les choses ! Il est têtu, impulsif, et se laisse souvent guider par ses émotions. Mais ses capacités à utiliser la Force sont indiscutables. La Force a toujours été très présente en lui et il est devenu un extraordinaire Chevalier Jedi malgré ses méthodes... originales.

R2-D2 émet un long bip pour montrer qu'il est inquiet, lui aussi. Mais le jeune Jedi est entêté et ne se reposera pas avant d'avoir mis la main sur Grievous.

— Je dormirai plus tard, quand nous l'aurons trouvé ! Les clones du Service de Renseignement l'ont localisé dans le Système Balmorra, il y a quelques semaines, mais depuis, plus rien, lâche Anakin, frustré.

Obi-Wan passe la main dans sa barbe, l'air pensif.

— Peut-être bien qu'il se repose... contrairement à toi.

L'amiral Yularen entre dans la salle et informe les Jedi que le commandant Cody sou-

haite leur parler. R2-D2 se connecte à la table holographique et l'image de Cody apparaît aussitôt.

— Commandant, quelles sont les nouvelles ? demande Obi-Wan.

Cody et le capitaine Rex sont chargés de vérifier que tous les systèmes de surveillance de la République fonctionnent parfaitement.

— La station Pastil est complètement opérationnelle, annonce Cody. Le capitaine Rex et moi nous rendons au poste avancé du Système Rishi.

— Bien, tenez-nous au courant dès que vous serez sur place.

En entendant parler du Système Rishi, Anakin est encore plus déterminé à trouver Grievous le plus vite possible : ce poste avancé est essentiel à la survie de la République pendant la guerre. Qui sait ce qui pourrait arriver si le Général Grievous décidait de s'y attaquer...

La planète Kamino se trouve au sud du vaste Système Rishi. C'est là-bas que la République construit les armées de clones. Ils y sont créés, élevés et entraînés grâce aux structures disponibles sur la planète. Kamino est en quelque sorte leur terre natale. Mais si les droïdes du clan Séparatiste s'aventurent dans cette zone, ils pourront lancer une attaque surprise et ainsi mettre fin à la production de clones.

Ce serait l'arrêt de mort de la République.
— Ne t'inquiète pas, Anakin, dit Obi-Wan. Si le Général Grievous s'approche de cette zone, nous le saurons immédiatement.

CHAPITRE 2

Le Système de Rishi

L'atmosphère est extrêmement fine sur la lune de Rishi, et sa surface est constellée de cratères rocheux. Perché au bord d'un précipice vertigineux, le poste avancé de la République est le seul signe de vie sur cette terre désolée. Une plate-forme d'atterrissage, un vaisseau et les antennes du système de communication. Rien d'autre.

Un seul clone sentinelle surveille la zone à l'aide de puissantes jumelles, mais, comme d'habitude, tout est calme.

— Ici l'officier de surveillance, annonce-t-il dans son émetteur. Rien à signaler.

Les autres clones traînent dans la salle de contrôle. Certains sont assis et regardent désespérément les écrans de surveillance où rien ne se passe. Le reste des troupes discute, et quelques-uns font des parties de bras de fer.

Un clone couvert de blessures entre soudain dans la pièce, et jette un regard mécontent sur les soldats.

— Attention ! crie un des clones. Le sergent est là !

— Les Bleus, dit le sergent O'Niner, je sais que vous êtes nouveaux ici, mais je ne devrais pas avoir à vous rappeler que cet endroit est le dernier rempart avant la Bordure Extérieure. Si jamais les droïdes forcent le passage, ils pourront atteindre Kamino et détruire les structures qui nous ont créés.

Les clones comprennent ce qui est en jeu.

— Des officiers sont en route, alors je voudrais que tout soit en ordre pour l'inspection. Compris ?

— Oui, chef ! répondent les clones à l'unisson, tandis qu'un signal clignote sur les écrans au même instant.

— Chef, pluie de météorites en approche !

— Armez le bouclier de protection, ordonne le sergent tandis que les troupes se précipitent à leurs postes respectifs.

À l'extérieur, plusieurs météorites s'écrasent sur le bouclier et se désintègrent aussitôt. Quelques-unes parviennent malgré tout à passer le bouclier et créent de nouveaux cratères sur la lune.

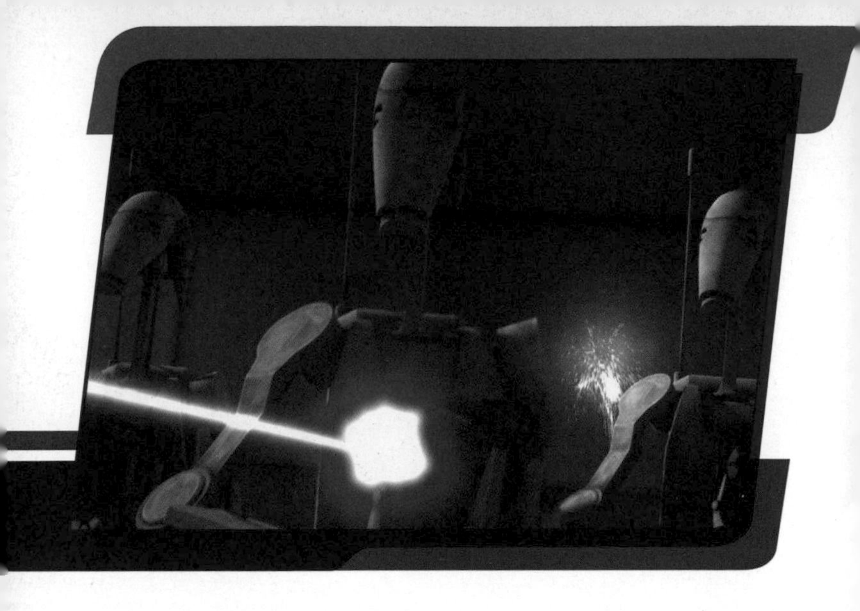

Au même moment, une petite navette droïde se pose discrètement.

CHAPITRE 3

Attaque

Devant le poste avancé, le clone sentinelle scanne toujours les alentours avec ses jumelles. Soudain, il aperçoit la navette au loin.

— Qu'est-ce que…, commence-t-il en activant son émetteur.

Mais il n'a pas le temps de dire quoi que ce soit, car il est déjà entouré de quatre droïdes commandos. Un cinquième le frappe dans le dos avec un bâton électrique, et le clone s'écroule.

Six autres droïdes font leur apparition et chargent vers le poste avancé en levant leurs armes.

— Ouvrez cette porte, ordonne le capitaine droïde à ses troupes.

— *Bien reçu, bien reçu.*

— Clone 327, au rapport, appelle le sergent O'Niner. Sentinelle, vous me recevez ?

— Il y a peut-être des interférences à cause des météorites ? suggère un clone devant sa console.

Les soldats observent la plate-forme d'atterrissage du poste avancé, à la recherche de la sentinelle.

— Monsieur, je ne vois personne.

— Vous deux, dit le sergent en désignant deux clones. Allez voir ce qui se passe.

Les clones attrapent leurs casques et se dirigent vers l'entrée principale mais tombent nez à nez avec six droïdes commandos qui ont réussi à entrer dans le poste avancé.

— Des droïdes !

C'est la première fois que ces jeunes recrues rencontrent de vrais droïdes et ils sont complètement affolés. Ils essaient de s'enfuir mais le capitaine des droïdes ne leur laisse aucune chance, et les abat sans pitié.

Dans la salle de contrôle, un clone active le système d'alarme pour alerter les renforts. Mais toutes ses tentatives restent sans réponse.

— Ils ont déconnecté l'alarme ! crie-t-il aux autres.

— Envoyez immédiatement un message aux renforts, ordonne O'Niner. Nous devons les prévenir que…

Le sergent est touché par un tir de laser et n'a pas le temps de terminer sa phrase.

Les droïdes commandos se lancent à la poursuite des derniers clones retranchés dans la salle de contrôle. L'un d'eux parvient à actionner la porte, et détruit aussitôt le mécanisme de fermeture.

— Ça devrait ralentir un peu ces tas de ferraille, dit-il tandis que ses coéquipiers ont ouvert l'accès à un tunnel de maintenance.

— Par ici, vite ! hurle un clone.

La porte ne tiendra pas longtemps sous les assauts des droïdes, qui vont entrer d'un instant à l'autre.

Les clones sont déjà partis lorsque les droïdes investissent la pièce.

— Trois clones nous ont échappé, capitaine, commente l'un d'entre eux.

— Aucune importance. Piratez le signal et faites croire à la République que tout va bien avant d'appeler le Général Grievous.

CHAPITRE 4

La stratégie des Séparatistes

Une importante flotte Séparatiste s'approche du Système Rishi, prête à l'attaque. Des dizaines de vaisseaux de combat et d'énormes navires dc la Fédération du Commerce se mettent en formation, alors qu'un essaim de chasseurs Vautours vole à vive allure entre les vaisseaux.

Le Général Grievous est sur le pont de son vaisseau de combat, devant l'hologramme du capitaine des droïdes.

— Le poste avancé est sécurisé, général, informe le capitaine. Nous avons neutralisé l'alarme et envoyé un signal aux renforts de la République pour tromper leur attention.

— Excellent, répond Grievous. Maintenez ce signal à tout prix, la République ne doit pas se douter que nous arrivons.

L'hologramme disparaît et le général reste quelques instants à réfléchir à sa victoire imminente. Il sait que la prise du poste avancé de Rishi est la dernière étape avant la destruction des structures où sont fabriqués les clones, sur Kamino.

L'armée de la République sera enfin à sa merci, et personne ne pourra s'opposer à lui. Pas même les puissants Jedi.

— Nous avons un appel de notre espion sur Kamino, général, dit un droïde.

Le Général Grievous fronce les sourcils en observant l'hologramme d'Assaj Ventress, redoutable assassin de l'armée Séparatiste. Le Côté Obscur de la Force est très puissant chez Ventress, et elle est respectée dans toute la galaxie.

— Tout est prêt pour l'invasion, commence la tueuse, son sinistre visage caché dans l'ombre de sa capuche.

Seuls ses yeux de serpent sont visibles.

— Bien, répond Grievous. Nos vaisseaux s'approchent du Système Rishi, et nous serons bientôt au point de rendez-vous.

— Très bien, Seigneur, j'attends votre arrivée.

— Je vais mettre un terme à la production

de clones une bonne fois pour toutes en détruisant Kamino, s'exclame Grievous en riant.

Plus rien ne semble pouvoir l'arrêter…

CHAPITRE 5

Méfiance !

Le général ne se doute pas qu'un vaisseau d'attaque de la République s'approche de Rishi. À bord de l'*Obex*, le capitaine Rex se dirige vers la surface de la lune tandis que le commandant Cody essaie d'établir une liaison avec le centre de contrôle du poste avancé.

— Poste avancé de Rishi, ici le commandant Cody. Vous me recevez ? Répondez, s'il vous plaît.

Silence.

— Poste avancé de Rishi, répondez ! Répondez ! répète Cody, en lançant à Rex un regard inquiet.

— Désolé, commandant, commence une voix dans l'émetteur.

Cody aperçoit l'image d'un clone sur son écran de contrôle.

— Nous avons quelques petits problèmes… techniques.

— Nous sommes chargés d'inspecter le poste avancé, reprend Cody.

— Une inspection ? Négatif, négatif. Nous,

euh, nous n'avons pas besoin d'inspection. Tout va bien ici, merci.

— Eh bien, c'est à nous d'en juger. Préparez-vous à notre arrivée.

Rex et Cody échangent des regards inquiets.

— *Bien reçu, bien reçu,* termine le clone.

Il y a quelque chose qui cloche. *Les clones ne parlent pas comme ça,* pense Rex.

Il fronce les sourcils. Il a déjà entendu cette voix quelque part… Mais où ?

CHAPITRE 6

De vrais clones

Cody et Rex se posent sur la plate-forme d'atterrissage, et scrutent attentivement les alentours.

— Tout ça ne m'inspire pas confiance, lance Rex en arrivant près de la porte du poste avancé. Je ne vois pas la sentinelle qui devrait être ici.

— J'ai un mauvais pressentiment, confirme Cody.

Les portes s'ouvrent soudain, et un clone vient à leur rencontre.

— Bienvenue sur Rishi, commandant, annonce-t-il.

Sa voix sonne comme celle d'un clone, mais ses mouvements sont étrangement mécaniques.

— Comme vous pouvez le voir, le poste avancé est en parfait état de fonctionnement, continue le clone. Merci de votre visite, et bon retour !

Mais Rex et Cody ne sont pas du tout convaincus.

— Nous devons aussi inspecter l'intérieur du poste, explique Cody.

Ils s'apprêtent à entrer dans le poste lorsque le clone leur barre le passage. Indigné devant une telle attitude, Rex demande aussitôt à parler au sergent responsable du site.

— *Bien reçu, bien reçu,* répète le clone, alors qu'un feu de détresse s'élève plus loin.

C'est la deuxième fois que le clone fait

cette réponse. C'est trop pour Rex, qui n'a plus aucun doute, et fait exploser le clone en morceaux d'un tir de laser. Il aperçoit la tête d'un robot dissimulée sous le casque du clone.

— Des droïdes… grogne Cody. Si ce poste a été pris par les droïdes de combat, cette fusée de détresse a sûrement été tirée par les clones survivants.

CHAPITRE 7

Les Bleus

Des dizaines de tirs de laser se mettent soudain à pleuvoir sur la plate-forme. Ils sont tombés dans une embuscade ! Trois droïdes foncent sur eux en tirant, obligeant Rex et Cody à se replier vers l'*Obex*. Mais d'autres droïdes les attendent à côté de leur vaisseau. Le ciel se remplit d'éclairs verts et bleus. Les deux clones se réfugient derrière des caisses de matériel et continuent à tirer.

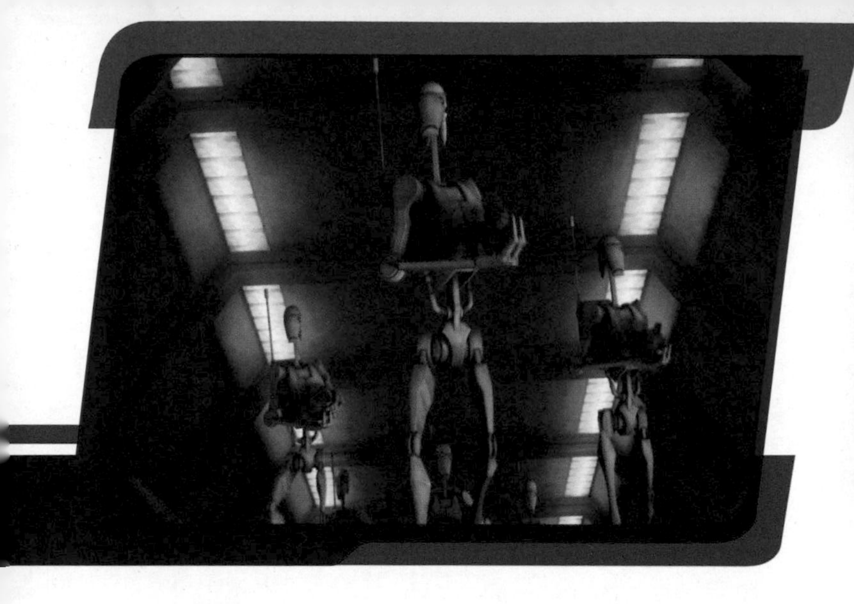

— Nous sommes pris au piège ! hurle Rex.

Deux droïdes commandos leur envoient des grenades.

— Il faut descendre de cette plate-forme !

— Compris ! répond Cody.

Ils utilisent leurs câbles pour descendre dans un cratère en contrebas, juste avant que les grenades n'explosent. La fumée provoquée par le choc leur a permis de s'échapper sans être vus par les droïdes, qui pensent les avoir éliminés.

— Voilà qui complique la situation, remarque Cody une fois au sol.

Ils entendent soudain des bruits de pas et saisissent leurs armes, prêts à tirer.

— Les mains en l'air ! crie Rex en visant trois clones qui s'approchent d'eux. Retirez vos casques !

— Chef… ? répond l'un d'entre eux, inquiet.

— Retirez-les ! Maintenant !

Rex tient à vérifier que d'autres droïdes ne se cachent pas sous les casques des clones. Mais il est vite rassuré lorsque les trois soldats lui obéissent, et révèlent le visage caractéristique de tous les clones.

Rex retire également son casque.

— Je suis Rex, mais vous m'appellerez capitaine, leur dit-il.

— À vos ordres, chef, lancent les trois clones à l'unisson.

— Et moi, je suis votre nouveau chef, le commandant Cody.

Un des clones se présente aux gradés.

— Je suis le clone 27-5555, chef.

— On le surnomme « Quatre Fois Cinq »,

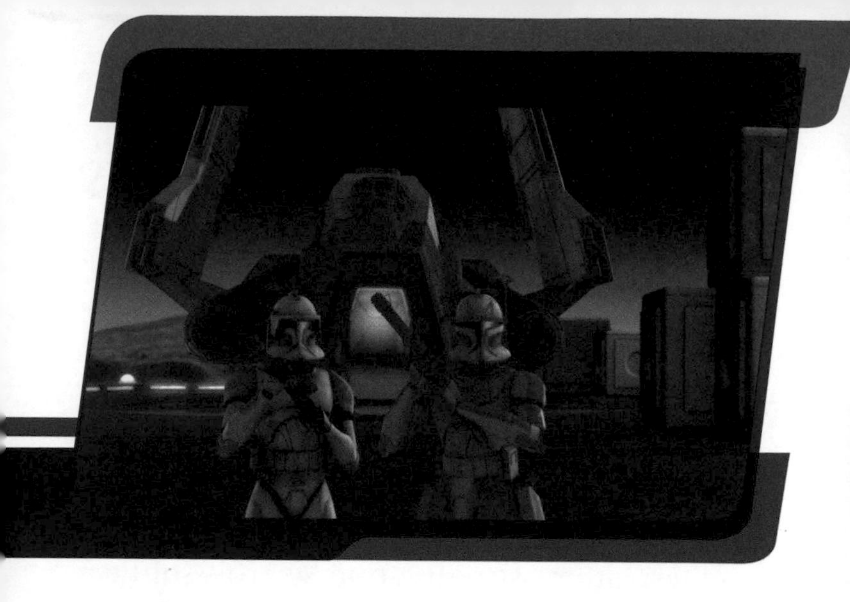

continue un autre clone. Je suis Hevy, et voilà Écho.

— Eh bien, vous m'avez l'air de petits nouveaux, répond Rex d'un air détaché.

— Nouveaux ?

— Oui : vos armures sont encore toutes neuves, comme vous.

Les Bleus observent leurs armures de plus près, puis Hevy reprend la parole.

— Chef, nous sommes bien entraînés et prêts à nous battre. Nous allons reconquérir le poste avancé.

Le capitaine Rex sourit doucement.

— Alors vous avez de l'avenir, les Bleus !

CHAPITRE 8

L'invasion

L'amiral Yularen est à bord du *Resolute* en compagnie d'Obi-Wan et d'Anakin. Il essaye d'établir un contact avec Rex et Cody.

— Commandant, vous me recevez ? Capitaine Rex, répondez s'il vous plaît, répète l'amiral.

Les deux clones devaient faire un rapport aux Jedi dès leur arrivée sur Rishi mais ils ne donnent aucun signe de vie.

— Cela fait des heures qu'ils auraient dû

nous contacter... On dirait que ton capitaine a les mêmes problèmes que toi avec le respect des ordres, rumine Obi-Wan en jetant un regard entendu vers Anakin.

Rex est le bras droit d'Anakin, et il lui ressemble beaucoup. Il est très susceptible et n'aime pas vraiment suivre les ordres. Mais ils forment malgré tout une excellente équipe.

— Cody est peut-être en train de faire la morale à Rex à propos du respect des protocoles et des procédures, répond Anakin, avec malice.

— C'est en respectant ces procédures ennuyeuses que nous retrouverons la trace de Grievous, lui rappelle Obi-Wan. La leçon à retenir, c'est que les protocoles sont parfois bien utiles.

Obi-Wan n'a pas oublié l'époque où Anakin était son apprenti, et il sait que le jeune homme ne le contredira pas. Personne ne souhaite mettre la main sur Grievous plus que lui.

Sur la lune de Rishi, les clones isolés continuent de s'approcher du poste avancé. Les droïdes sont beaucoup plus nombreux, mais ce qui compte c'est de reprendre le poste. Pour ça, ils doivent d'abord passer la porte d'entrée.

Rex connaît tout un tas de ruses utilisées par les droïdes, et décide de se faire passer pour celui qui s'était déguisé en clone. Il adopte la démarche mécanique d'un droïde et s'approche de la porte. Le droïde commando le regarde par la lucarne.

— Unité 2-6, est-ce que c'est vous ? interroge-t-il.

— *Bien reçu, bien reçu,* répond Rex en imitant la voix d'un droïde.

— Vous êtes bizarre… Est-ce que vous avez un problème avec votre système de communication ?

— *Bien reçu, bien reçu,* répète Rex le plus fidèlement possible.

Le droïde commando est toujours perplexe, et demande à Rex de retirer son casque pour voir sa tête. Rex attrape son casque et recule du champ de vision du garde. Il s'empare aussitôt d'une tête de droïde qui traîne par terre et la montre devant la porte.

Ça ne marchera jamais, se dit Cody en secouant la tête. Pourtant, quelques instants plus tard, la porte s'ouvre. Sans perdre de temps, les clones se ruent à l'intérieur et mettent en pièces les quelques droïdes commandos qui se trouvaient là. Ils sécurisent la zone et partent en direction du centre de contrôle.

— Chef, est-ce que je peux entrer le pre-

mier ? demande Hevy, une fois arrivé devant le centre.

— C'est *toujours* moi qui entre en premier, gamin, répond Rex.

Le clone s'avance sans bruit. Dans le centre de contrôle, trois droïdes commandos s'occupent des machines, tandis qu'un quatrième garde la porte d'entrée, tournant le dos aux clones. Sans hésiter, Rex l'élimine, pendant que les trois autres se retournent et lui tirent dessus. Rex et son équipe se mettent à couvert et continuent à tirer eux aussi.

Un des droïdes commandos vise Rex mais le manque. Le capitaine en profite pour ajuster un tir dans la main du droïde et lui fait perdre son arme.

Le droïde ne se décourage pas et attaque Rex avec un fusil Blaster, mais le clone est beaucoup plus rapide. Il esquive le coup, passe derrière le droïde et l'achève d'un coup sur la nuque avant de le laisser tomber par terre.

Les Bleus crient victoire, mais pas le commandant Cody. Il remarque un écran de contrôle sur lequel clignotent des petits points. C'est un radar : on dirait qu'ils ont de la visite. Les clones se dirigent vers la fenêtre, et aperçoivent tout un escadron de vaisseaux Séparatistes très haut dans le ciel.

— Je comprends mieux pourquoi ils ont attaqué ce poste avancé, explique Cody. Les droïdes veulent lancer une invasion à grande échelle.

— Il faut prévenir les Jedi, conclut le capitaine Rex.

CHAPITRE 9

Un plan

Le Général Grievous est à bord d'un vaisseau Séparatiste, juste au-dessus de la lune de Rishi.

— Le poste avancé de la République continue d'émettre *rien à signaler*, informe le droïde de combat. Mais nous ne savons pas pourquoi nos droïdes ne répondent pas.

— Nous ne devons rien laisser au hasard, répond Grievous d'un air féroce. Il ne faut pas que le poste avancé prévienne les Jedi de notre arrivée. Envoyez immédiatement des soldats !

— *Bien reçu, bien reçu,* confirme le droïde avant de donner l'ordre à un vaisseau d'inspecter le poste avancé.

Dans la salle de contrôle, les clones tentent désespérément d'utiliser les machines, mais rien ne fonctionne. Les droïdes ont piraté l'émetteur, et ont rendu impossible toute communication avec les Jedi. Les clones n'ont pas le temps de réparer, car les premières troupes de Grievous atterrissent sur la plate-forme du poste avancé. Les jeunes recrues assistent, effrayées, au débarquement en rangs serrés des super droïdes de combat.

— Nous ne pourrons pas tenir longtemps

contre cette armée de boîtes de conserve, remarque Cody.

— Dans ce cas, la seule solution est de détruire nous-mêmes le poste avancé, lâche Rex.

Une fois le poste de Rishi détruit, le signal cessera et les troupes de la République seront alertées. Les clones ont désormais une nouvelle mission, celle de protéger Kamino à n'importe quel prix. Le Général Grievous et ses droïdes seront là d'ici peu de temps, et, si sa stratégie fonctionne, il pourrait anéantir la production de clones pour de bon. Il faut l'arrêter, mais quelques clones ne peuvent rien contre lui. La destruction du poste avancé est la seule manière d'attirer l'attention des Jedi.

— On pourrait utiliser du TL ! s'écrie Écho avec excitation, tandis que les autres lui lancent des regards surpris.

— La surface de la lune est gelée la moitié de l'année, et on se sert du Tibana Liquide pour chauffer le poste avancé, continue le clone.

— Tibana Liquide, répète Cody. C'est extrêmement explosif.

Il suffit simplement d'apporter les réservoirs de liquide dans la salle de contrôle, et les relier à quelques détonateurs. Sans oublier de retenir les droïdes qui continuent leur chemin vers le poste...

CHAPITRE 10

R.A.S.

Après avoir expliqué le plan à tout le monde, le capitaine Rex part chercher les réservoirs, accompagné d'Écho. Pendant ce temps, Cody, Hevy et Quatre Fois Cinq foncent vers l'armoire forte contenant les armes.

— Celui-là est pour moi ! crie Hevy en louchant sur un énorme fusil à quatre canons.

— Attention, ce n'est pas l'arme qui fait le soldat, le prévient Cody, alors que les droïdes de combat viennent d'atteindre la porte.

— Nous sommes les renforts. Ouvrez, ordonne la voix métallique du sergent droïde.

La porte s'ouvre et Hevy fait face au droïde avec son quadruple canon.

— Vous n'avez pas dit « s'il vous plaît » ! répond-il en ouvrant le feu.

Toute l'unité de droïdes est balayée par la puissance du tir, et les autres robots se précipitent aussitôt vers la porte, alertés par le bruit. Les clones sont toujours beaucoup moins nombreux que les droïdes et se contentent de les repousser avant de refermer la porte du poste avancé.

Dans la salle de stratégie du *Resolute*, l'amiral Yularen essaie toujours de joindre Rex et Cody. Anakin et Obi-Wan sont à ses côtés, inquiets du silence des clones.

— Capitaine Rex, répondez. Commandant Cody, vous êtes là ? continue Yularen, avant de se tourner vers Obi-Wan. Général, il n'y a toujours pas de réponse.

— Et à propos du signal ? Est-ce que le poste avancé émet encore le *R.A.S.* ? interroge Obi-Wan.

— Oui, monsieur.

— S'il y avait un quelconque problème, ils nous auraient avertis. Concentrons-nous plutôt sur le Général Grievous.

— Compris ! conclut Anakin.

Le Général Grievous s'impatiente dans son vaisseau, car la mission prend beaucoup plus de temps que prévu.

— Que se passe-t-il dans le poste avancé ? hurle Grievous au capitaine droïde. La zone est-elle sécurisée ?

— Euh..., hésite le capitaine, conscient du sort réservé par Grievous aux droïdes incompétents. Nous avons quelques difficultés... il semble que des clones soient encore dans le poste, chef.

— Alors détruisez-les ! rugit le général. Nous ne laisserons pas ces vers de terre nous barrer la route !

CHAPITRE 11

Sacrifice

La victoire des clones est plus que compromise. Les droïdes de combat ont réussi à forcer la porte et progressent malgré les tirs soutenus des clones. Mais ces derniers ne vont plus tarder à faire sauter le poste. Hevy et Quatre Fois Cinq suivent Cody vers la salle de contrôle.

— Rex, les réservoirs de liquide sont prêts ? demande Cody dans son émetteur.

— Nous avons presque terminé, répond Rex.

Cody et les clones se dirigent vers l'ascenseur et retrouvent Rex et Écho qui viennent d'installer la dernière charge explosive sur un réservoir de Tibana. La vision des réservoirs prêts à sauter est terrifiante. Une fois que tout aura explosé, il ne restera plus rien du poste avancé. Cependant, il y a encore un problème à régler…

— La télécommande ne fonctionne pas correctement avec les détonateurs, leur explique Rex.

— Je m'en occupe, répond Hevy. Ça sera réparé en un clin d'œil, et je vous rejoins aussitôt.

Rex laisse Hevy à contrecœur, et court vers le tunnel de maintenance en compagnie de Cody, Écho et Quatre Fois Cinq.

Le clone a tout essayé mais n'arrive pas à connecter la télécommande aux détonateurs.

J'ai un mauvais pressentiment, se dit Hevy. *Il doit bien y avoir un moyen…*

Le jeune Bleu entend les pas des droïdes qui se rapprochent de plus en plus. Il empoigne son quadruple canon et se cache dans le couloir.

Rex et le reste du groupe sont arrivés à l'extérieur du poste avancé et s'éloignent en vue de l'explosion imminente.

— Hevy, appuie sur le…, commence Rex. Mais où est Hevy ?

— Je m'en occupe, chef, répond le clone

dans son émetteur.

— Hevy, sors de là maintenant !

Mais le jeune clone ne veut pas abandonner. Depuis sa cachette dans le couloir, il explique à Rex que la télécommande ne fonctionne toujours pas et qu'il est obligé d'actionner manuellement les détonateurs.

Pendant qu'il parle avec Rex, Hevy n'a pas remarqué que trois droïdes de combat sont entrés dans le couloir. Mais les robots, eux, l'ont repéré.

— Hé, arrêtez ! lance un des droïdes.

— C'est un clone. Tuez-le ! ordonne un autre.

Rex et les soldats entendent les tirs de lasers. Hevy a besoin d'aide, et ils doivent faire demi-tour.

— On retourne au tunnel de maintenance, allez ! crie Cody.

— Ce n'est pas la peine de venir. Je sais ce que j'ai à faire, réplique Hevy en tirant sur les droïdes.

—Je n'aime pas beaucoup le ton de ta voix, le Bleu, reprend Rex, inquiet.

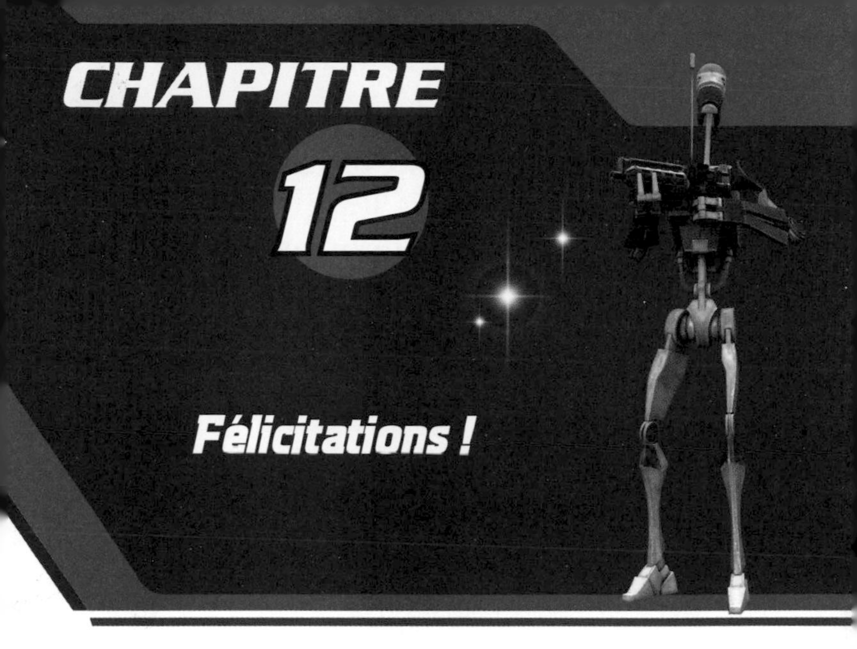

CHAPITRE 12

Félicitations !

Hevy et les droïdes sont toujours en plein combat. Jusqu'à présent, il évitait leurs tirs, mais soudain, il se fait surprendre. Il reçoit un tir dans le dos et s'écroule sous le choc. C'est la première fois qu'il est blessé au combat. Il se relève et aperçoit un autre escadron de droïdes qui vient vers lui.

Il entend Rex lui parler dans son récepteur.

— Soldat, répondez. Vous êtes là ? Répondez, dites quelque chose !

Mais Hevy est assailli de toutes parts. Il dirige son arme vers les droïdes et envoie une rafale juste avant de s'engouffrer dans le centre de contrôle.

La pièce grouille de droïdes. Leur commandant est assis devant les écrans de contrôle, et Hevy en profite pour l'ajuster d'un tir puissant et détruire quelques autres droïdes du même coup. Mais soudain, son arme ne tire plus. Il est à court de munitions !

Hevy réfléchit rapidement, et jette son arme sur les droïdes dans un dernier effort. Mais il reçoit plusieurs tirs de lasers, et s'effondre. Le jeune Bleu rassemble ses dernières forces et rampe vers les réservoirs. Il atteint un des détonateurs, lorsqu'un droïde lui barre la route.

— Est-ce qu'on doit faire des prisonniers ? demande-t-il à un autre droïde.

— Pas la peine, répond Hevy en appuyant sur le bouton de l'explosif.

Cody, Rex, Écho et Quatre Fois Cinq sont à l'extérieur du poste avancé lorsque celui-ci disparaît dans une gigantesque explosion. Même les droïdes et les vaisseaux Séparatistes des alentours sont réduits en miettes. Il ne reste plus que des ruines fumantes à présent, et Hevy n'a aucune chance d'avoir survécu.

Les clones restent silencieux pendant quelques instants, puis Écho prend la parole, en mémoire de son ami.

— Hevy disait toujours qu'il détestait cet endroit.

À bord du *Resolute*, l'amiral Yularen remarque soudain que le signal *R.A.S.* n'apparaît plus.

— Le poste avancé de la lune de Rishi n'émet plus ! dit-il en se tournant vers les Jedi.

— Ça doit être Grievous, marmonne Anakin.

— Sonnez le signal d'alarme, ordonne Obi-Wan à l'équipage. Allons chercher ce Général.

En quelques secondes, tout le monde est à son poste, et le vaisseau se dirige vers le Système Rishi.

Depuis son vaisseau, le Général Grievous n'en croit pas ses yeux. Surpris, il regarde le poste avancé partir en fumée, puis pousse un hurlement de colère en frappant les écrans de contrôle.

— Je ne leur avais pas dit de tout détruire !!

— Tout est bien qui finit bien, non ? demande timidement le capitaine des droïdes.

Grievous se tourne et le fixe durement. *Pourquoi est-ce que les droïdes sont incapables d'être intelligents ?* se demande-t-il.

— Imbécile ! répond le cyborg aussi calmement que possible. L'explosion a coupé le signal, et maintenant la République sait qu'il se trame quelque chose ici !

Comme si tout se passait en vitesse accélérée, les navires de guerre de la République apparaissent soudain devant le vaisseau de Grievous.

— Les voilà, grogne le général. Nous sommes trop peu nombreux. Partons d'ici !

Écho et Quatre Fois Cinq observent avec leurs jumelles la fuite des vaisseaux Séparatistes, et pensent à Hevy qui les a sauvés. Rex aperçoit très haut dans le ciel deux chasseurs Jedi. C'est Obi-Wan et Anakin

qui viennent les chercher. Cody lève les bras en l'air en signe de reconnaissance.

Écho et Quatre Fois Cinq reçoivent les félicitations des Jedi.

— Nous tenons à vous remercier de la part de la République pour votre courage et nous honorons le sacrifice de votre coéquipier, annonce Obi-Wan.

Rex et les jeunes clones portent les marques du combat. Ils sont sales et blessés.

— Félicitations, vous êtes de vrais soldats maintenant, leur dit Rex. Vous êtes exactement le genre de guerriers dont j'ai besoin au sein de mon équipe.

— Merci, chef ! répondent à l'unisson Écho et Quatre Fois Cinq.

Anakin, de son côté, est perdu dans ses pensées. Tout est rentré dans l'ordre, mais la chance sera-t-elle encore de leur côté la prochaine fois ? Les Jedi et la République sont loin d'en avoir terminé avec le Général Grievous.

FIN

Prêt pour de nouvelles aventures intergalactiques ?
Alors tourne vite la page !

La guerre des clones est loin d'être terminée : Anakin, Obi-Wan et Ahsoka protègent la République dans le 2è tome de la série, *Les secrets de la République*

Tome 2 : Les secrets de la République

Tourne vite la page pour découvrir un extrait du tome 2 !

CHAPITRE 1

Le piège !

L'Alliance Séparatiste et les armées de la République sont toujours en pleine guerre pour le contrôle de la Bordure Extérieure. Les clones qui se battent pour la République sont débordés par les troupes Séparatistes menées par le Général Grievous. Bothawui est un point stratégique très important, et la République n'est pas prête à l'abandonner sans se battre. À bord du *Resolute*, le général Jedi Anakin Skywalker est chargé de la protection

de Bothawui. Il est à la tête d'un escadron de chasseurs qui surveillent la zone. L'amiral Yularen est à ses côtés, ainsi qu'un clone et Ahsoka, une jeune Togruta de la planète Shili. La jeune fille est l'apprentie d'Anakin et l'accompagne dans toutes ses missions. Comme tous les habitants de sa planète, elle a la peau orange et sombre, ainsi que des marques blanches sur le front et les joues. Trois excroissances poussent derrière son crâne, appelées *lekku*, et lui retombent dans le dos et de chaque côté du visage.

Dans son uniforme bleu classique de la République, l'amiral Yularen observe le champ d'astéroïdes qui gravite autour de Bothawui. Les roches laissent derrière elles des traînées de lumière rouge qui illuminent l'univers. Mais ces astéroïdes sont aussi beaux que dangereux.

— Ne vous approchez pas trop, lieutenant, prévient Yularen.

— Oui, chef. Vous croyez que les Séparatistes vont finir par se montrer ?

— Si Maître Skywalker pense qu'ils vont venir, alors c'est qu'ils seront bientôt là, répond Ahsoka. Sois patient.

Anakin est occupé à réparer son Delta-7 dans la soute du *Resolute*. Il est assis dans le chasseur de combat monoplace, tandis que R2-D2 est installé dans l'aile du vaisseau.

— Je crois que nous avons le vaisseau le plus rapide de toute l'armée de la République maintenant, commence Anakin en vérifiant l'affichage sur son écran. Pousse le moteur à fond, sans interruption cette fois.

— Bip !

R2-D2 s'apprête à exécuter l'ordre, lorsqu'un autre petit droïde passe en roulant.

— Braaap ! répond le droïde à R2-D2 dans une sorte de grondement.

Le robot ressemble à R2-D2, mais il a deux yeux ronds en forme de jumelles sur le sommet.

— Bip ! Bip ! Bip ! réplique R2-D2, qui se sent insulté.

— Pfftt ! fait l'autre droïde en s'éloignant derrière le vaisseau.

— Tu es prêt à tester le moteur, R2 ? demande Anakin.

Le moteur du vaisseau s'allume dans une gerbe de flammes, tandis qu'une alarme retentit.

Anakin se tourne et aperçoit l'autre droïde qui roule sur le côté, couvert de crasse par le souffle du moteur.

— Il ne méritait pas ça, R2 !

— Skytruc, il y a un message urgent pour

vous, lance Ahsoka en arrivant dans la soute.

— Ahsoka, ne m'appelle pas comme ça devant tout le monde, réplique Anakin.

— Mais c'est urgent, Maître.

Anakin et R2-D2 la suivent jusqu'à la salle de stratégie du *Resolute* où les attend l'amiral Yularen, devant l'hologramme du très sérieux Obi-Wan Kenobi.

— L'armée Séparatiste de Grievous avance dans votre direction, commence Obi-Wan.

Le simple fait d'entendre le nom du

général rebelle sème la terreur parmi les plus fervents partisans de la République. Grievous aime se battre contre des Jedi pour le plaisir. Il a récemment remporté plusieurs batailles dans la Bordure Extérieure.

— On dirait que ce traître sait exactement où et quand nous attaquer, répond Anakin d'un air pensif.

— Ils sont bien plus nombreux que vous, Anakin. Je vous conseille de vous retirer.

— Si nous partons, les Séparatistes prendront le contrôle de cette zone, et je ne les laisserai pas faire.

— C'est ton problème, Anakin, lâche froidement Obi-Wan, qui sait que son ancien apprenti aime prendre des risques.

— Maître Kenobi a raison, intervient Ahsoka. Nous devrions partir. Nous n'avons aucune chance contre...

— Ahsoka ! l'interrompt Anakin.

— Le suicide ne fait pas partie de l'enseignement des Jedi, Maître, continue Ahsoka, presque aussi têtue qu'Anakin.

— Tu devrais écouter ton apprentie, lui conseille Obi-Wan.

— Comme vous avez écouté le vôtre, mon vieux Maître ? réplique Anakin en souriant. Non, nous allons rester, et nous battre. Et je pense savoir comment prendre le Général Grievous à son propre jeu.

Non loin de là, six vaisseaux sortent de l'Hyperespace et entrent dans la périphérie de Bothawui. Ce sont des chasseurs de combat lourdement armés, appartenant au Clan Bancaire Intergalactique, mais qui ne sont plus utilisés que par l'armée Séparatiste.

Le Général Grievous est à bord de l'un d'entre eux. Avec son torse, ses jambes et ses quatre bras de métal, il ressemble plus à un droïde qu'à un extraterrestre. Il porte un masque à l'effigie d'une tête de mort sur son visage, qui couvre également son cerveau. Seuls ses deux yeux jaunes sont visibles à travers cette protection. Sa cape sombre flotte derrière lui alors qu'il fait les cent pas dans le vaisseau.

Le capitaine des droïdes se tourne vers Grievous.

— Nos espions ne se sont pas trompés, général. Les Jedi ont mis en place toute une flotte de chasseurs derrière l'anneau planétaire.

Le général jette un œil à l'écran de contrôle, et distingue une petite concentration de vaisseaux de combat Jedi entre la ceinture d'astéroïdes et la planète Bothawui, comme le lui a confirmé le droïde.

— Faites avancer nos vaisseaux vers le champ d'astéroïdes et engagez le combat avec les Jedi, lance le général en sifflant à cause de ses poumons abîmés.

— À travers le champ, monsieur ?

— Si nous les attaquons par-dessus, ils auront l'avantage. Il faut donc les surprendre en passant dans les astéroïdes.

Le droïde hoche la tête, puis donne l'ordre à la flotte de vaisseaux de s'avancer. Mais il y a très peu d'espace entre les énormes rochers flottant dans l'univers.

Bang ! Un astéroïde a heurté la coque au niveau du pont de commandement.

— Je n'aime pas beaucoup ça… lâche le capitaine droïde d'un air nerveux.

— Activez tous les boucliers avant ! ordonne Grievous.

— Mais que fait-on s'ils nous attaquent par-derrière ?

— Ils ne peuvent pas : les astéroïdes nous protègent.

Le chasseur de combat d'Anakin décolle du croiseur Jedi, suivi de près par des vaisseaux V-19. Ils foncent droit vers l'ennemi pour se préparer à l'attaque.

— Escadron Gold, en formation serrée, ordonne Anakin. Approchons-nous doucement pour les attirer vers nous.

— Très bien, monsieur, répond un clone.

— Bip, bip ! fait R2-D2 d'un air inquiet.

— Ne t'en fais pas, R2. Grievous est en train de tomber dans notre piège.

Ahsoka est restée devant l'écran de contrôle du *Resolute*. Une multitude de cercles de couleur se déplace dans leur direction en passant dans le champ d'astéroïdes.

— Centre de commandement du *Resolute* pour chef d'escadron Gold, dit-elle, la voix mal assurée. Nous attendons.

Un officier clone est penché au-dessus du radar et commente les positions des navires ennemis.

— L'ennemi entre en zone 6... zone 5...

La flotte de Gricvous s'arrête lentement à l'extrémité de la ceinture d'astéroïdes, et Grievous aperçoit sur son écran les chasseurs V-19 qui se dirigent vers les rochers. L'un d'entre eux est différent. C'est le vaisseau personnel d'Anakin Skywalker, suivi par trois croiseurs Jedi qui, eux, foncent droit sur les navires Séparatistes.

Si le général le pouvait, il serait en train de sourire, car les V-19 ne sont pas une grande menace. Il dispose de six vaisseaux de combat alors que les Jedi en ont deux fois moins. Et trois de ses six vaisseaux ont déjà traversé les astéroïdes sans problème.

— Général, nous avons un angle de tir sur leurs vaisseaux, annonce le capitaine droïde.

— Excellent. Concentrez les tirs sur le croiseur de la République le plus proche !

Soudain, les trois premiers vaisseaux de Grievous ouvrent le feu sur ceux de la République : l'explosion est prodigieuse !

Fin de l'extrait

Tu as aimé cet extrait ?
Pour tout savoir sur ta série,
connecte-toi vite au site
www.bibliothequeverte.com

TABLE

« Pour l'éditeur, le principe est d'utiliser des papiers composés de fibres naturelles, renouvelables, recyclables et fabriquées à partir de bois issus de forêts qui adoptent un système d'aménagement durable. En outre, l'éditeur attend de ses fournisseurs de papier qu'ils s'inscrivent dans une démarche de certification environnementale reconnue. »

Imprimé en France par Jean Lamour - Groupe Qualibris
Dépôt légal : juin 2010
20.07.1849.7/04 ISBN : 978-2-01-201849-5
Loi n° 49956 du 16 juillet 1949
sur les publications destinées à la jeunesse